幼儿小百科

不一样的恐龙

张玉光◎编著

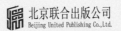

北京联合出版公司
Beijing United Publishing Co.,Ltd.

图书在版编目 (CIP) 数据

不一样的恐龙／张玉光编著 .—北京：北京联合出版
公司，2018.5（2018.10 重印）

（幼儿小百科）

ISBN 978-7-5596-1935-8

Ⅰ．①不… Ⅱ．①张… Ⅲ．①恐龙－儿童读物
Ⅳ．① Q915.864-49

中国版本图书馆 CIP 数据核字 (2018) 第 068527 号

幼儿小百科

·不一样的恐龙·

选题策划：**日知图书**

项目策划：冷寒风

责任编辑：杨　青　高霁月

特约编辑：王世琛　宋春秀

插图绘制：百年制作　铁皮人美术

美术统筹：吴金周

封面设计：周　正

北京联合出版公司出版

（北京市西城区德外大街83号楼9层 100088）

艺堂印刷（天津）有限公司印刷 新华书店经销

字数10千字　720×787毫米　1／12　4印张

2018年5月第1版　2018年10月第2次印刷

ISBN 978-7-5596-1935-8

定价：24.90元

目录

嘘！恐龙来了

穿越时光隧道看恐龙……4

破解恐龙的身体密码……6

恐龙的本领……8

第一章 植食性恐龙

剑龙是位剑客……10

板龙是个大个子……12

副栉龙好像戴着高帽子……14

雷龙走路声音像打雷……16

戟龙头盾长尖角……18

体长冠军地震龙……20

禽龙指上有尖刺……22

大椎龙有秘密武器……24

Q：谁发现了恐龙……26

第二章 肉食性恐龙

始盗龙年纪大……28

短跑能手腔骨龙……30

嗜鸟龙是个小个子……32

凶猛的异特龙……34

角鼻龙鼻子上有个角……36

霸王龙是恐龙霸主……38

伶盗龙是个聪明的家伙……40

窃蛋龙不偷蛋……42

棘龙背上长着帆……44

重爪龙喜欢吃鱼……46

游戏时间：记忆力大考验……48

穿越时光隧道看恐龙

恐龙是一种生活在很久很久以前的爬行动物。在恐龙生活的时代，没有任何一种其他动物能够和它们抗衡，它们可是当时地球上的统治者呢。恐龙根据食性的不同，主要分为植食性恐龙和肉食性恐龙，还有部分杂食性恐龙。

恐龙的生活很无聊

恐龙的生活可没有我们人类的生活丰富多彩。它们跟今天森林里的其他动物一样，会吃饭、喝水、睡觉。肉食性恐龙还要外出捕猎，捕不到猎物就只能饿肚子了。

原来它们这样交流

恐龙一般会用叫声打招呼。除此之外，一些恐龙还会用气味进行交流。当风中飘过其他恐龙的气味时，这些恐龙就可以用它们的鼻子及时接收信息。

这是我的领地！

恐龙消失了

对于"恐龙是怎么灭绝的"这个问题，其实连科学家也不知道准确的答案。大家普遍认为，当时一颗小行星撞击了地球，地球上的气候突然变冷。在又冷又饿的环境下，恐龙就灭绝了。

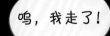

呜，我走了！

破解恐龙的身体密码

恐龙的皮肤和颜色

恐龙的皮肤很厚，而且很有韧性，还可以防水。但恐龙的皮肤是什么颜色的呢？科学家们认为，成年恐龙身上可能会长着斑纹或斑点，具体的颜色还与它们生活的环境有关。

剑龙

戟龙

斑龙

恐龙离不开尾巴

无论是肉食性恐龙还是植食性恐龙，都长着各具特色的尾巴。其实，对于恐龙来说，尾巴是必不可少的"好帮手"。有的恐龙的尾巴是防身的武器，有的可以保持身体平衡，有的则用来支撑沉重的身体。

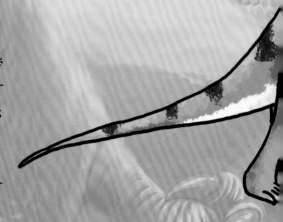

有趣的鼻子

有些恐龙的鼻子长在脑袋顶上，当它们被其他恐龙袭击的时候，就跑到水里，为了方便呼吸，只需要把头顶的鼻子露出水面就可以了。

恐龙有耳朵吗

恐龙当然是有耳朵的啦！要是没耳朵，它们就听不到声音了。不过，恐龙的耳朵从外面看，只是两个洞。这是因为它们虽然有听觉系统，但是没有外耳郭。

恐龙会飞吗

其实恐龙不会飞！只是有些长羽毛的恐龙可以滑翔。在恐龙生活的时代，也有会飞的爬行动物。例如翼龙，但它们不属于恐龙。

恐龙会游泳吗

有些恐龙会游泳！科学家在西班牙发现了恐龙用爪子在水底沉积物上保留下的痕迹。因为留下的是划痕而不是爪印，说明恐龙的身体是漂浮着的，这就证明了有些恐龙会游泳。

恐龙怎么行走

恐龙和现生爬行动物不同，它们的四肢能像哺乳动物一样直立着地。有些恐龙用四肢行走，有些恐龙只需要后肢就能行走。而有些更灵巧的恐龙用四肢或是后肢都可以行走。

剑龙是位剑客

骨板

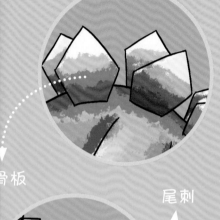

尾刺

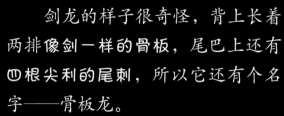

剑龙的样子很奇怪，背上长着两排像剑一样的骨板，尾巴上还有四根尖利的尾刺，所以它还有个名字——骨板龙。

我和你一样，都有两米高。

会走路的"小山"

剑龙和现在的大象个头差不多。不过，它可没有大象那么"漂亮"。剑龙的前肢短、后肢长，走起路来慢吞吞的，远远看上去，就像一座拱起的小山。

"笨笨"的家伙

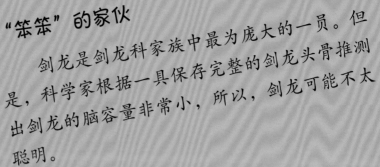

　　剑龙是剑龙科家族中最为庞大的一员。但是，科学家根据一具保存完整的剑龙头骨推测出剑龙的脑容量非常小，所以，剑龙可能不太聪明。

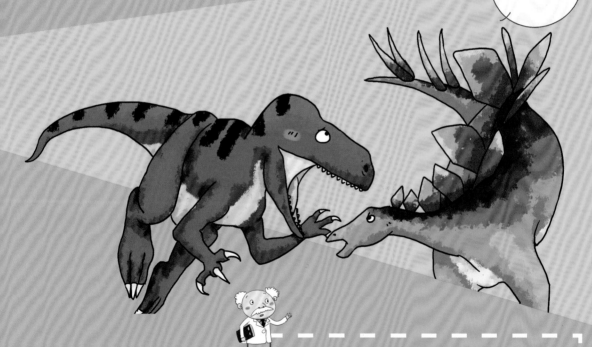

我有剑，我不怕你！

剑龙档案

分布：	北美洲、亚洲
时间：	侏罗纪晚期
身长：	4~9米
体重：	2~4吨

　　有人认为，剑龙身上的骨板是用来警告敌人的；有人认为，这是剑龙的武器，当它们遇到危险的时候，就会将骨板对着敌人；还有人认为，剑龙用骨板模拟苏铁类的植物来保护自己。

11

三叠纪时期的恐龙要数板龙的个子最大了，它的身长有2～3辆小轿车加起来那么长。

板龙会直立着吃饭

大个子板龙的胃口可不小。有时它把地面上的植物叶子吃完后，肚子还不饱，就会直立起来吃掉树梢上的叶子。

板龙档案

分布：	欧洲
时间：	三叠纪晚期
身长：	6~8米
体重：	约5吨

你怎么突然直立起来了？

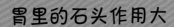

胃里的石头作用大

板龙总是喜欢吞一些小石头。当板龙吞下食物的时候，它的胃就成了一台"碾磨机"。只要胃蠕动，石头就跟着滚动起来，而食物会被碾得很碎很碎，这样消化起来就容易多了。

科学家曾经发现一块恐龙骨骼的化石，它的肚子里居然有300多颗石头。

遗迹化石

恐龙生活时留下的痕迹，包括足迹、巢穴、粪便等也可以成为化石，这些化石被称为遗迹化石。

实体化石

恐龙遗留下来的身体部位，如牙齿和骨骼化石是最常见的，被称为实体化石。

副栉(zhì)龙的头上长着长长的头冠，就像戴了一顶高帽子。它的这顶"帽子"竟然能长达1.8米！

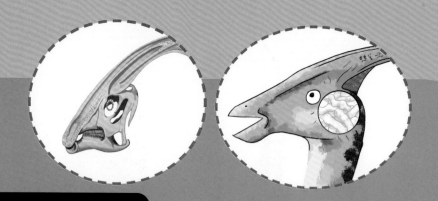

副栉龙的头冠

副栉龙的头冠是中空的，空气在头冠中震动，可以发出鸣叫声，这种声音可以传到很远。另外，由于头冠内部空间很大，还可以帮助它降低脑部的温度。

副栉龙生活在北美洲，它平常散步和寻找食物的时候会用四只脚走路。当遇到其他恐龙袭击时，就会改用两只脚奔跑。

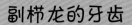

副栉龙的牙齿

副栉龙有坚硬的喙嘴，嘴里长着数百颗牙齿，而且它的牙齿能不断地长出新的来。在进食的时候，副栉龙首先用它们的喙状嘴切割植物，然后将植物送进嘴里。在吃食物的时候，它们只用其中的一小部分牙齿，这样可以尽量减少牙齿的损耗。

副栉龙档案

分布：北美洲
时间：白垩纪晚期
身长：9~10米
体重：约2.5吨

雄副栉龙的头冠

雌副栉龙的头冠

打雷？

科学家根据雷龙庞大的身躯，推断它们行进的时候会发出犹如雷声的巨响，所以，给它起名为雷龙。

雷龙走路声音像打雷

雷龙体形巨大，头能伸到六层楼那么高，一个脚掌的面积就有一把完全撑开的伞那么大。

大胃王

雷龙进食时可不会细嚼慢咽，而是大口大口地把食物吞下去。一群雷龙甚至可以在短短几天时间内，吃掉一整片树林。

雷龙真正的名字

其实，雷龙真正的名字应该叫迷惑龙。但是大家已经习惯了"雷龙"这个称呼，所以只有科学家才叫它迷惑龙。

雷龙的四肢非常粗壮，后肢比前肢稍长。它们可以用后肢和尾巴作为支撑，直立起来。

应该叫
迷惑龙!

大家只
知道雷龙!

脖子和尾巴
差不多长。

雷龙档案

分布：北美洲
时间：侏罗纪晚期
身长：约23米
体重：约27吨

恐龙的饭量大吗

恐龙家族中，大个子还真不少。梁龙一天能吃掉1～2吨植物，而霸王龙一次可以吃下200多千克肉。不过它一次吃饱了，就可以几天不吃东西了。其实相对于恐龙的身材来说，它们的饭量其实不算很大。

戟龙长得比较特别，所以能很容易地被辨认出来。远远看过去，戟龙的脑袋像是一个插满武器的兵器架。

一点儿都不痛！

戟龙身上有坚硬的鳞片，这样它就不会轻易地被划伤，还能防止虫子的骚扰。

戟龙的样子真可怕

戟龙的鼻子上长着长长的尖角，可以刺穿敌人的身体。此外它们还长着厚实的头盾，头盾上也有4~6个尖角，这都是它们的武器。虽然有这么多武器，但戟龙一般不轻易参加战斗，很多时候，它们往那儿一站，不少敌人就会被吓跑了。

鼻角

戟龙吃饭很随意

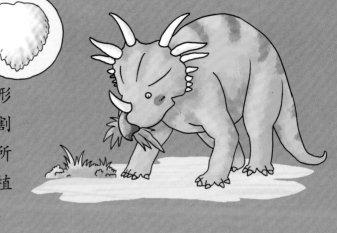

戟龙的嘴又长又窄，牙齿的形状像树叶，可以方便地拉扯和切割食物。由于它们的头部抬不高，所以戟龙主要吃一些生长在低处的植物。当然，它们在很饿的情况下，可能也会用头、嘴或身体，去撞倒高一些的植物，然后再吃。

你竟然敢咬戟龙？

戟龙档案

分布：亚洲、北美洲
时间：白垩纪晚期
身长：约5.5米
体重：约3吨

雷龙那巨大的身体已经让人惊叹不已，其实它还不是恐龙世界里最大的恐龙，地震龙比雷龙还要大呢。

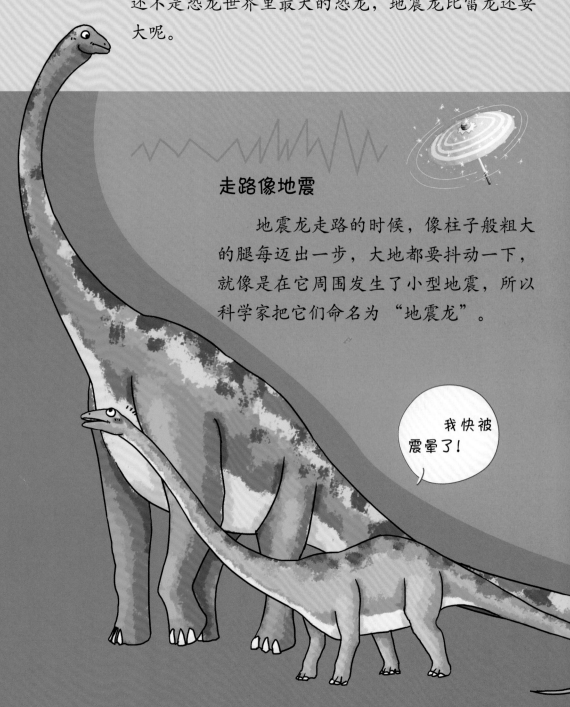

走路像地震

地震龙走路的时候，像柱子般粗大的腿每迈出一步，大地都要抖动一下，就像是在它周围发生了小型地震，所以科学家把它们命名为"地震龙"。

我快被震晕了！

地震龙的武器

地震龙都有着长脖子、小脑袋和长长的尾巴。地震龙的尾巴就有一吨多重，相当于两头水牛的重量。它可以帮助地震龙抵御敌人或赶走其他动物。地震龙即使在进食的时候，尾巴也在不断抽打，生怕敌人偷袭它。

小小的脑袋

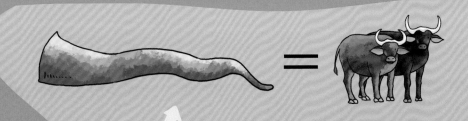

柔软的尾巴

地震龙档案

分布：	北美洲
时间：	侏罗纪晚期
身长：	32~36米
体重：	31~40吨

地震龙一天可以吃掉一吨多的食物，是现在的大象食量的十倍。告诉大家一个秘密，地震龙的粪便就有一人高。

粪便化石

禽龙是全世界第二种被正式命名的恐龙，它的头跟马的头很像，都是长长的。

灵活的前肢

灵活的前肢是禽龙的一大特点，它的前肢甚至与后肢的长度差距很小。前肢上的五个指头的功能也不一样。

禽龙的"大拇指"上有一根骨质尖刺，可以作为抵御敌人的有效武器。

长在中间的三个指头末端呈蹄状，对行走很有帮助。

第五个指头非常灵活，能配合其他的指头抓东西。

强壮的后肢

禽龙的后肢十分强壮，但它无法以四足形态快速奔跑。被猎食者追杀时，它会立即收起前肢，靠两条强壮的后肢逃跑。禽龙以二足奔跑的最高速度估计为每小时24千米。

禽龙档案

分布：	欧洲、北美洲
时间：	白垩纪早期
身长：	9~10米
体重：	约7吨

禽龙的性格很温和，喙状的嘴里牙齿替换生长，主要以蕨类植物、苏铁、针叶树类植物等作为食物。

大椎龙是最早的以植物为食的恐龙之一，又被称为巨椎龙，拉丁文名字的中文意思是"有巨大脊椎骨的蜥蜴"。

大椎龙的身体

大椎龙的脖子和尾巴都很长。当它直立起来的时候，头能离开地面5～6米，所以能够吃到树顶上的嫩树叶。不过和身体比起来，它的头实在是太小了。

大椎龙的牙齿

大椎龙的头骨

仔细看大椎龙嘴里的牙齿，靠前的牙齿带着锯齿，而且很坚固。有科学家认为平时它会用前部的牙齿撕咬猎物，而用后部的牙齿吃植物。

大椎龙的大"手掌"

大椎龙的秘密武器

大椎龙的秘密武器就是它的拇指上长着的又长又弯的爪子。当它被其他恐龙攻击的时候，这可是一件很厉害的防御武器。除此之外，它的拇指还可以帮助它们捡起不小心掉在地上的食物。

大椎龙档案
- 分布：南非、南美洲
- 时间：侏罗纪早期
- 身长：4~6米
- 体重：约135千克

25

Q：谁发现了恐龙

01 190多年前，英国南部苏塞克斯郡一个叫作刘易斯的小地方，住着一位乡村医生，他的名字叫曼特尔。曼特尔业余时间非常喜欢研究化石。在他的带动下，他的太太也成了一位化石采集高手。

02 1822年3月的一天，因担心在外行医的丈夫会着凉，曼特尔夫人决定给丈夫送外套。但在路上，她无意中发现，路边裸露的岩石中有些很奇怪的化石。

03 好奇心让曼特尔夫人把化石带回家中。没过多久，曼特尔先生也回家了。同样，当见到这些化石之后，他也惊呆了。见多识广的曼特尔先生从未见过这么大、这么奇特的化石。

04 随后不久，曼特尔先生又在发现化石的地点附近找到了许多类似的牙齿和骨骼化石。百思不得其解的曼特尔先生决定请教当时世界上最有名的动物解剖学家——法国的居维叶。

05 居维叶认为，牙齿化石是犀牛的，骨骼化石是河马的，这些化石都不会太古老。曼特尔觉得这个结论太草率，所以，他决定继续考证。

06 曼特尔先后又查阅了大量的资料，并在两年后的一天，偶然结识了一位在伦敦皇家学院博物馆研究鬣(liè)蜥的博物学家。

07 经过与鬣蜥标本的对比，他们得出结论：这些化石属于一种与鬣蜥同类，但已经灭绝了的古代爬行动物，并把牙齿化石命名为"鬣蜥的牙齿"。

08 随着人类对远古动物认识的逐渐深入，我们终于知道，当初曼特尔夫妇发现的就是禽龙，这也是最早被发现的恐龙。

始盗龙的头骨

始盗龙年纪大

始盗龙的发现

始盗龙的化石是在一片荒凉的土地上发现的。当一具很完整的恐龙骨骼呈现在人们面前时，所有人都震惊了。

始盗龙跟后来的恐龙相比，个子实在太小了，即使成年后，也只有6～10千克重，和今天的一只小狗差不多大。

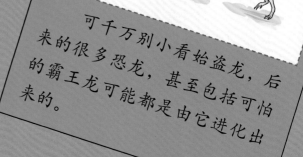

可千万别小看始盗龙，后来的很多恐龙，甚至包括可怕的霸王龙可能都是由它进化出来的。

始盗龙档案

分布：南美洲
时间：三叠纪晚期
身长：约1.5米
体重：6~10千克

习惯不好改

　　始盗龙走路的样子很有趣，它虽然主要用两条腿走路，但偶尔也会"手脚"并用地爬，样子像只蜥蜴。这是因为它才进化成恐龙，有些旧的习惯一下子还改不过来。

牙齿既有肉食性恐龙的特征，又有植食性恐龙的特征。

我们真像！

　　始盗龙的爪上有五个指头，但后来出现的肉食性恐龙，爪上的指头就只有四个或三个了。这是科学家判断始盗龙是恐龙祖先的重要依据。

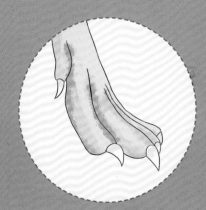

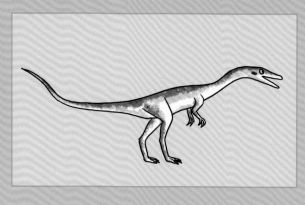

腔骨龙又叫虚形龙，意思是"骨头中空的恐龙"。它的骨骼很薄而且中空，所以体重很轻，动作敏捷。它更像是放大并拉长的鸟，不过它身上可是没有羽毛的。

团结就是力量

腔骨龙的个子不大，要是靠自己单独打猎的话，可完全不是那些大个子动物们的对手。所以，它们喜欢一小群、一小群地活动。

名声不太好

　　腔骨龙的名声其实不太好。这是因为它比较残忍，在找不到吃的东西时，就可能打自己同伴的主意了。据科学家推测，如果它饿急了，就会残杀自己的同类，甚至还吃同类中的幼年恐龙。

一颗颗尖牙帮助它们撕咬猎物的皮肉。

奔跑时，尾巴向后伸直来保持身体平衡。

锋利的爪子可以紧紧地抓住猎物。

腔骨龙档案

分布： 北美洲

时间： 三叠纪晚期

身长： 2.5~3米

体重： 15~30千克

嗜(shì)鸟龙拉丁文名字的中文意思是"盗鸟的恐龙",这可是有点冤枉它了,因为它可能并没有捕捉过鸟。

嗜鸟龙是个小个子

嗜鸟龙的大眼睛显示了超凡的视力。

独特的头部

嗜鸟龙头部的后侧有些小小的鳞片,当它们觉得有危险发生的时候,这些鳞片还会竖立起来。

三个指头上都有锋利的爪子。

嗜鸟龙档案

分布:北美洲
时间:侏罗纪晚期
身长:1.8~2米
体重:10~13千克

小个子也厉害

嗜鸟龙的个子跟现在的牧羊犬差不多大。但它的视觉和嗅觉都非常好，能够远远地发现奔跑或躲藏着的蜥蜴、青蛙还有其他的小动物。一旦捉住了猎物，嗜鸟龙马上就会用自己锋利的牙齿把它们咬碎，然后美滋滋地吞到肚子里去。

起初科学家以为嗜鸟龙的尾巴是拖在地上的，后来才断定，行进时它的尾巴是悬在空中的，起平衡作用。

捕捉动物的利器

嗜鸟龙像人一样有两只"手"，不过每只"手"上只有三个指头，两个较长，一个较短。较短的指头可以像人的大拇指一样向内弯曲抓紧东西。嗜鸟龙的三个指头上都有锋利的爪子，这样被抓到的猎物就更加难以逃脱了。

异特龙个体虽然没有霸王龙大，但是它具有比霸王龙更加粗大，且更适合捕杀其他恐龙的前肢。因此也有些科学家认为，异特龙才是地球上有史以来最强大的食肉动物。

粗壮的后腿

异特龙的两条后腿很粗壮，相比起来前肢就短小多了。不过它的前肢有很强的攻击力，因为上面长着三个指头和大型的指爪，爪子的长度甚至能达到35厘米。

指爪长35厘米

异特龙也叫跃龙，用两足行走。异特龙眼睛的上方有一对角冠，是用来联系或警告自己同类的标志。

一对角冠

大大的脑袋

异特龙的脑袋很大，因此可以吞下大块的食物。在它的嘴里，长着几十颗像刀子一样可怕的牙齿。异特龙的牙齿边缘是锯齿状的，很容易脱落，但会不断地长出新牙，所以现在最常见的恐龙牙齿化石就是异特龙的牙齿。

大大的脑袋

这里是我的地盘！

在一般情况下，异特龙是独自捕猎的，它们还会划分出属于自己的狩猎领地。当异特龙猎杀到其他恐龙后，如果没有得到"主人"的允许，其他任何恐龙都不能靠近它的战利品，即使是同类也不可以。

异特龙档案

分布：	非洲、大洋洲、北美以及中国
时间：	侏罗纪晚期
身长：	7~9.7米
体重：	1.5~3.6吨

角鼻龙 鼻子上有个角

在肉食恐龙中，头上长角的可不多见。角鼻龙就是这样一种凶猛的、鼻子上长着尖角的肉食性恐龙。

角鼻龙会游泳

角鼻龙只能算是一种中等体形的肉食性恐龙，但非常灵活。有些科学家推测，它跟许多动物一样会游泳，能在水里捕猎，并且通常能猎杀到体形比自己大两三倍的植食性恐龙。

北极熊也会游泳。

鱼生下来就会游泳。

水牛很会游泳。

我会游泳哦！

角鼻龙档案

分布：	北美洲、非洲
时间：	侏罗纪晚期
身长：	4.5~6米
体重：	约900千克

角鼻龙VS异特龙

角鼻龙和异特龙比起来，个子要矮小一些，身体也要细长一些，所以在树丛里活动起来更加灵活。而异特龙的腿较长一些，跑起来的速度也更快，因此喜欢在平原活动。

用途不明的角。

小异特龙

前肢短，
靠后肢行走。

角鼻龙个头不大，只能算是中等，但嘴里尖利的牙齿帮助它成为侏罗纪晚期凶残的肉食性恐龙之一。

迅速出击

从角鼻龙的身体构造来看，修长的后腿和尾巴、坚实的骨骼，都和现代的短跑冠军——猎豹的身体特征十分相似。由此可见，角鼻龙也是一个短跑高手，它的长尾巴则帮助它控制方向和平衡脑袋的重量。

霸王龙是恐龙霸主

说到霸王龙，相信每个人都不会陌生。霸王龙是暴龙的一种，算得上是恐龙世界里残暴的国王了。

恐龙王国的霸主

霸王龙长着巨大的脑袋，牙齿呈锯齿状，向后弯曲着，以别的大中型恐龙为食。虽然霸王龙很厉害，但出现得比较晚，是恐龙即将灭亡前的一类种群。

霸王龙准备用锋利的牙齿咬断猎物的脖子。

打了孔的头骨

最大的霸王龙头骨约有1.5米长。头上还有些洞孔，可以减轻头部的重量。

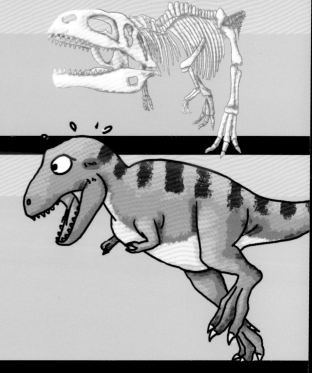

擅长攻击的身体构造

霸王龙的后肢强健粗壮，尾巴不算太长，可以向后挺直以平衡身体。强健的后肢让霸王龙奔跑起来速度可以达到每小时40千米以上，很少有猎物能逃过它们的追杀。

锋利的牙齿

霸王龙嘴里靠近前部的牙齿像一把把匕首，后部的牙齿外形像香蕉。如果算上齿根，霸王龙最大的牙齿有30厘米长，可以轻易咬碎一般恐龙的骨头。

30厘米

霸王龙重重的尾巴可是个好帮手，能帮它保持身体的前后平衡。要是没有了尾巴，霸王龙可就一点儿也神气不起来，因为它只要一抬起头来，就会因为失去平衡而摔跤。

霸王龙档案

分布：北美洲

时间：白垩纪晚期

身长：12~15米

体重：8~14.85吨

大家都喜欢看像霸王龙这样巨大凶猛的肉食性恐龙，可是，并不是所有的肉食性恐龙都是大块头。一些小型的肉食性恐龙也同样很凶猛，例如伶盗龙。

短跑健将

如果把伶盗龙的尾巴去掉，它们的体形其实比今天的火鸡大不了多少。不过，它们是名副其实的短跑健将，奔跑起来速度很快。

伶盗龙的名字很多，快盗龙、速龙、迅猛龙等都是它的名字。

伶盗龙是个聪明的家伙

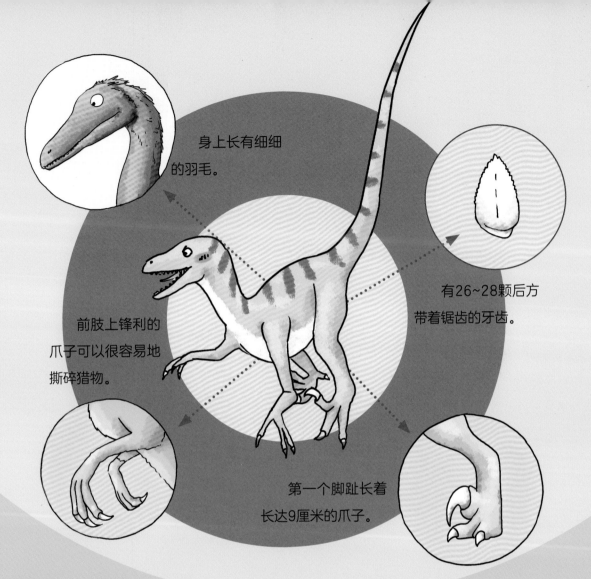

身上长有细细的羽毛。

前肢上锋利的爪子可以很容易地撕碎猎物。

有26~28颗后方带着锯齿的牙齿。

第一个脚趾长着长达9厘米的爪子。

聪明的小矮个儿

　　当伶盗龙发现猎物时，会配合同伴，用前肢上的爪子抓住猎物的身体，用腿上的镰刀爪猛扎入猎物的要害。这时，有同伴会用嘴撕咬猎物的脖子，猎物就会很快被杀死。

伶盗龙档案

分布：蒙古
时间：白垩纪晚期
身长：1.5~2米
体重：约15千克

窃蛋龙 不偷蛋

我们的世界里有国王，恐龙的世界里也有国王；我们的世界里有短跑健将，恐龙的世界里也有短跑健将。那我们的世界里有小偷，恐龙的世界里也有小偷吗？

原角龙的蛋化石

我在孵化自己的蛋！

窃蛋龙档案
分布：蒙古
时间：白垩纪晚期
身长：约2米
体重：约33千克

窃蛋龙真冤枉

科学家第一次发现它的骨骼化石时，还在这些化石的下面发现了一些似乎是原角龙的蛋化石，于是便推测窃蛋龙正在偷吃其他恐龙的蛋，所以给它起了这个名字。后来发现，这些蛋其实是窃蛋龙自己的。

窃蛋龙也吃肉

　　虽然在命名的时候可能冤枉了窃蛋龙，但是在窃蛋龙的胃部曾发现过蜥蜴的化石，说明它也是吃肉的。窃蛋龙本身的个子不大，但嘴巴上的喙嘴可以很轻松地啄破恐龙的蛋壳，为了生存下去，它或许也会去偷别的恐龙蛋。

喙部有个很坚硬的角质壳。

胸腔部位有很多鸟类的特征。

　　窃蛋龙长着大大的脑袋，是一种比较聪明的恐龙。窃蛋龙用两足行走，跑起来速度很快。

　　恐龙蛋有大有小，小的和鸭蛋差不多大，而大的就有足球那么大。恐龙蛋的形状也是多种多样的，有圆形、卵形、椭圆形和橄榄形。不同的恐龙蛋，蛋壳的样子也不同，有的光滑，有的表面有小斑点，有的表面还有条纹。

在恐龙的世界里，有一种大型食肉恐龙——棘龙，它们长相奇特，头部又扁又长，和现在的鳄鱼很像。

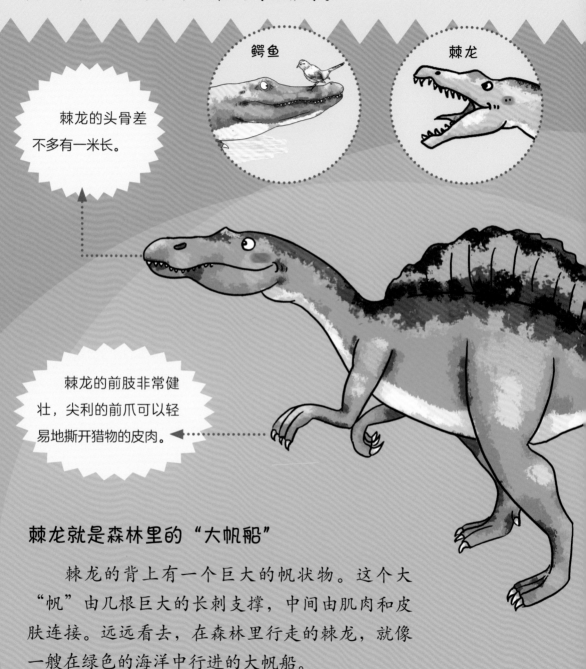

鳄鱼

棘龙

棘龙的头骨差不多有一米长。

棘龙的前肢非常健壮，尖利的前爪可以轻易地撕开猎物的皮肉。

棘龙就是森林里的"大帆船"

棘龙的背上有一个巨大的帆状物。这个大"帆"由几根巨大的长刺支撑，中间由肌肉和皮肤连接。远远看去，在森林里行走的棘龙，就像一艘在绿色的海洋中行进的大帆船。

凶狠的棘龙

和霸王龙相比，棘龙不仅可以更轻易地咬死猎物，而且可以凭借两只健壮的前肢和可怕的爪子辅助捕猎。

棘龙的背帆高达两米。

有背帆就是凉快！

棘龙档案

分布：北非、南美洲
时间：白垩纪中期
身长：12~19米
体重：4~18吨

出来晒晒太阳！

科学家们发现，在棘龙背帆的内部有大量的血管。当它想要升高自己的体温时，就把背帆对着太阳，太阳光会使背帆中血液的温度上升；当它想降低自己的体温时，就可以走到阴凉的地方，通过血液在背帆里流动，散发出体内的热量。

重爪龙喜欢吃鱼

恐龙生活的最后一段时期，动物、植物都很繁盛。这时的江河湖泊里，也出现了更多的鱼类，同时还出现了以鱼类为食的恐龙，重爪龙就是其中最典型的代表。

最早的重爪龙化石是在英国被发现的，这块化石属于一只幼年个体。

细长的尾巴帮助身体保持平衡。

拇指上有超过30厘米的钩爪。

捕鱼能手

重爪龙脖子很长，上颌的前端有段曲折的结构和鳄鱼很像，嘴里长着锯齿状的牙齿，牙齿数量共有近130颗，很适合咬住滑溜溜的鱼，然后整条吞下。

上颌的前端

鳄鱼

重爪龙的爪子很沉

从重爪龙的名字来看，它是有着沉重的爪子的恐龙。确实如此，它的前肢很强壮，有三个强有力的指头，特别是拇指，粗壮巨大，上面有一个超过30厘米长的钩爪。

前肢第一指爪复原图

重爪龙档案

分布：非洲
时间：白垩纪早期
身长：8~10米
体重：2~4吨

头部复原图

科学家在一些重爪龙的肚子里发现了禽龙的骨头，但是从它的牙齿和体形来看，似乎不足以猎食大中型恐龙。也许重爪龙除了吃鱼还会吃腐尸，它的长嘴可以伸进死掉的恐龙肚子里，吃掉柔软的内脏。

记忆力大考验

小朋友们还记得这些恐龙的名字吗？请说出它们的
名字，并让爸爸妈妈写下来。

（　　　　　）　　　　　　　　　（　　　　　）

（　　　　　）　　　　　　　　　（　　　　　）

（　　　　　）　　　　　　　　　（　　　　　）